Stray Kids

CLÉ 2 : YELLOW WOOD

STRAY KIDS SPECIAL ALBUM **CLÉ 2 : YELLOW WOOD**

BANG CHAN   WOOJIN   LEE KNOW   CHANGBIN
HYUNJIN   HAN   FELIX   SEUNGMIN   I.N

CLÉ 2 YELLOW WOOD

CLÉ 2 YELLOW WOOD

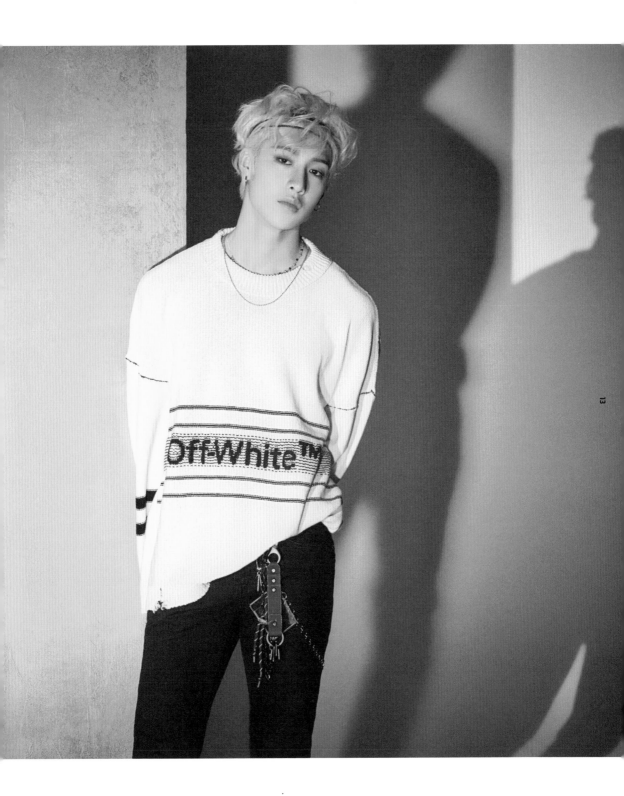

14

16

20

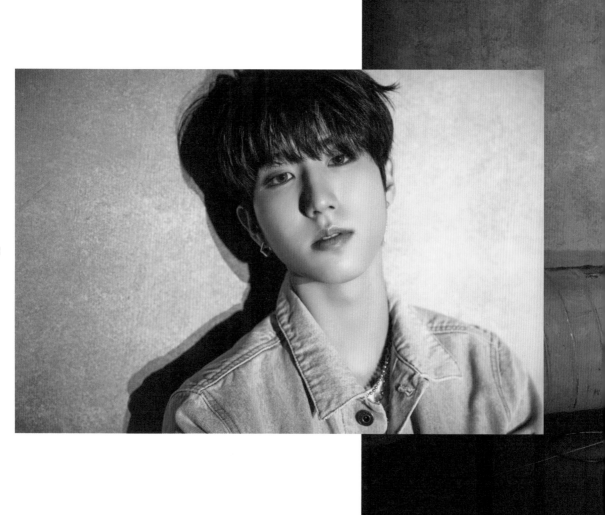

24

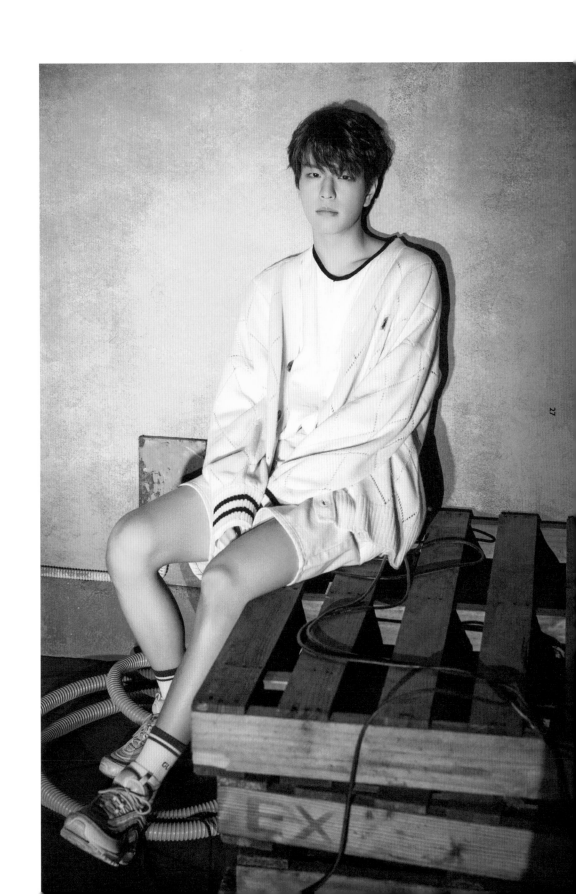

27

28

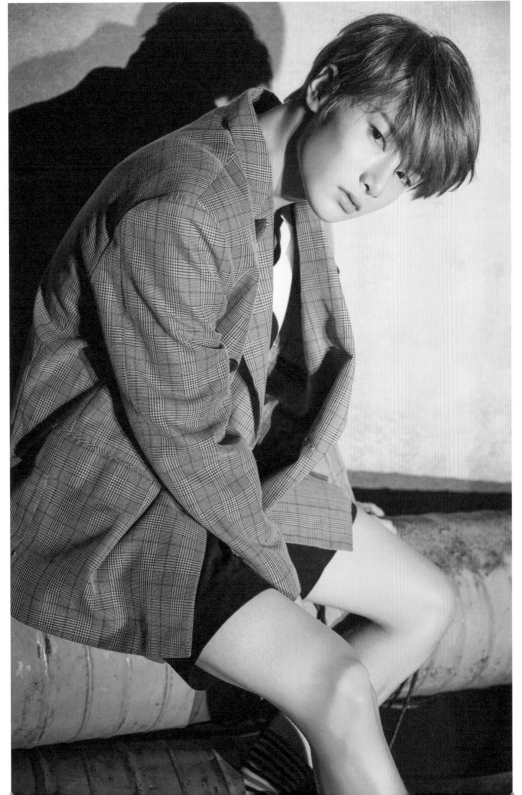

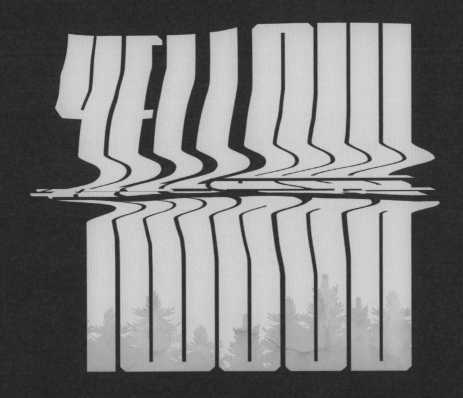

34

STRAY KIDS

CLÉ 2 : YELLOW WOOD

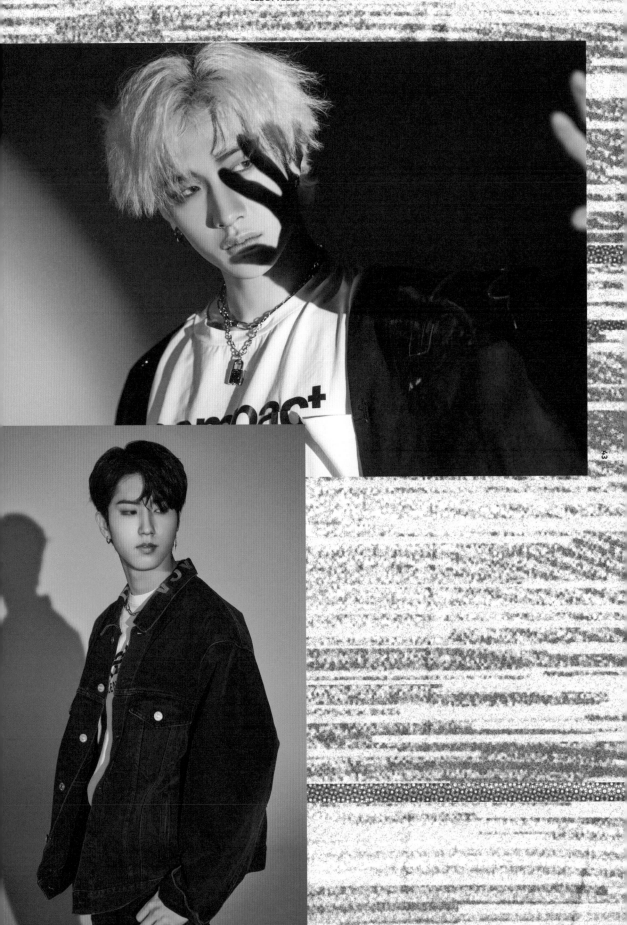

CHANGBIN BANG CHAN HAN

CHANGBIN BANG CHAN HAN

CHANGBIN BANG CHAN HAN

CHANGBIN BANG CHAN HAN

CHANGBIN BANG CHAN HAN

44

46

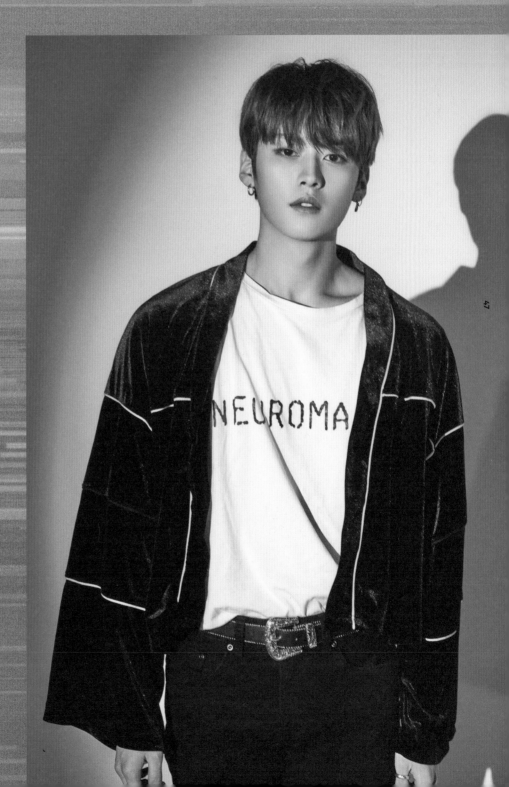

48

LEE KNOW   SEUNGMIN   I.N

LEE KNOW   SEUNGMIN   I.N

LEE KNOW   SEUNGMIN   I.N

WOOJIN

HYUNJIN

FELIX

S

TRA

Y K

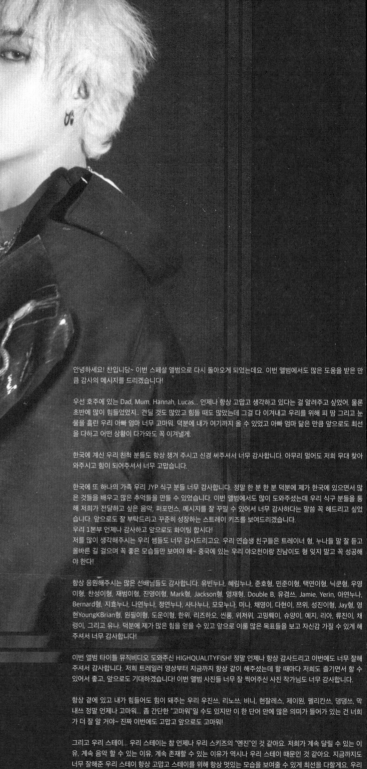

안녕하세요! 찬이니당~ 이번 스페셜 앨범으로 다시 돌아오게 되었는데요. 이번 앨범에서도 많은 도움을 받은 만큼 감사의 메시지를 드리겠습니다!

우선 호주에 있는 Dad, Mum, Hannah, Lucas... 언제나 항상 고맙고 생각하고 있다는 걸 알려주고 싶었어. 물론 초반에 많이 힘들었었지... 견딜 것도 많았고 힘들 때도 많았는데 그걸 다 이겨내고 우리를 위해 피 땀 그리고 눈물을 흘린 우리 아빠 엄마 너무 고마워. 덕분에 내가 여기까지 올 수 있었고 아빠 엄마 닮은 만큼 앞으로도 최선을 다하고 어떤 상황이 다가와도 꼭 이겨낼게.

한국에 계신 우리 친척 분들도 항상 챙겨 주시고 신경 써주셔서 너무 감사합니다. 아무리 멀어도 저희 무대 찾아와주시고 힘이 되어주셔서 너무 고맙습니다.

한국에 또 하나의 가족 우리 JYP 식구 분들 너무 감사합니다. 정말 한 분 한 분 덕분에 제가 한국에 있으면서 많은 것들을 배우고 많은 추억들을 만들 수 있었습니다. 이번 앨범에서도 많이 도와주셨는데 우리 식구 분들을 통해 저희가 전달하고 싶은 음악, 퍼포먼스, 메시지를 잘 꾸밀 수 있어서 너무 감사하다는 말씀 꼭 해드리고 싶었습니다. 앞으로도 잘 부탁드리고 꾸준히 성장하는 스트레이 키즈를 보여드리겠습니다.
우리 1분부 언제나 감사하고 앞으로도 화이팅 합시다!
저를 많이 생각해주시는 우리 쌤들도 너무 감사드리고요. 우리 연습생 친구들은 트레이너 형, 누나들 말 잘 듣고 올바른 길을 걸으며 꼭 좋은 모습들만 보여줘 해~ 중국에 있는 우리 야오천이랑 진남이도 형 잊지 말고 꼭 성공해야 한다!

항상 응원해주시는 많은 선배님들도 감사합니다. 유빈누나, 혜림누나, 준호형, 민준이형, 택연이형, 닉쿤형, 우영이형, 찬성이형, 재범이형, 진영이형, Mark형, Jackson형, 영재형, Double B, 유겸쓰, Jamie, Yerin, 아연누나, Bernard형, 지효누나, 나연누나, 정연누나, 사나누나, 모모누나, 미나, 채영이, 다현이, 쯔위, 성진이형, Jay형, 영현YoungKBrian형, 원필이형, 도운이형, 한위, 리즈하오, 씬롱, 위저위, 고밍퀘이, 슈양이, 예지, 리아, 류진이, 채령이, 그리고 유나. 덕분에 제가 많은 힘을 얻을 수 있고 앞으로 이룰 많은 목표들을 보고 자신감을 가질 수 있게 해주셔서 너무 감사합니다!

이번 앨범 타이틀 뮤직비디오 도와주신 HIGHQUALITYFISH! 정말 언제나 항상 감사드리고 이번에도 너무 잘해주셔서 감사합니다. 저희 트레일러 영상부터 지금까지 항상 같이 해주셨는데 할 때마다 저희도 즐기면서 할 수 있어서 좋고, 앞으로도 기대하겠습니다! 이번 앨범 사진들 너무 잘 찍어주신 사진 작가님도 너무 감사합니다.

항상 곁에 있고 내가 힘들어도 힘이 돼주는 우리 우진쓰, 리노쓰, 비니, 현잘레스, 제이원, 펠리칸쓰, 댕댕쓰, 막내쓰 정말 언제나 고마워~ 좀 간단한 "고마워"일 수도 있지만 이 한 단어 안에 많은 의미가 들어가 있는 건 너희가 더 잘 알 거야~ 진짜 이번에도 고맙고 앞으로도 고마워!

그리고 우리 스테이... 우리 스테이는 참 언제나 우리 스키즈의 "엔진"인 것 같아요. 저희가 계속 달릴 수 있는 이유, 계속 음악 할 수 있는 이유, 계속 존재할 수 있는 이유가 역시나 우리 스테이 때문인 것 같아요. 지금까지도 너무 잘해준 우리 스테이 항상 고맙고 스테이를 위해 항상 멋있는 모습을 보여줄 수 있게 최선을 다할게요. 우리에게 큰 선물인 스테이, 앞으로 스테이가 더 많은 선물을 받을 수 있게 우리 스키즈가 책임지겠습니다!

감사합니다.

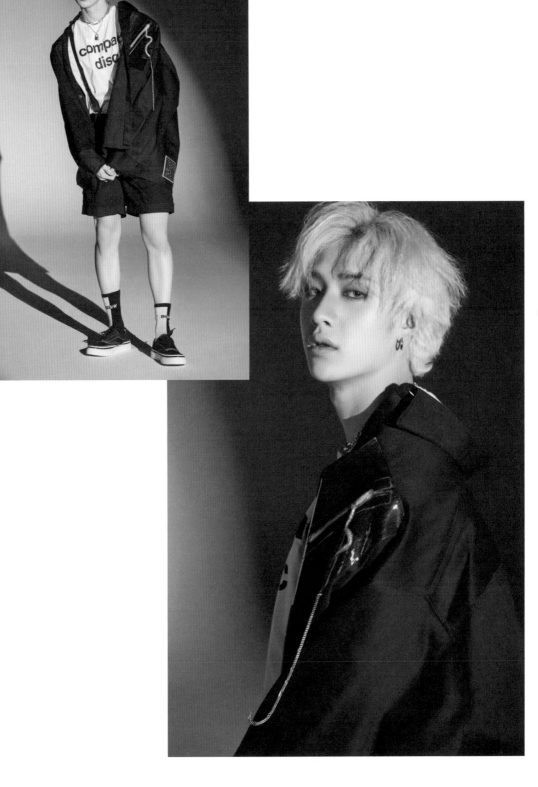

안녕하세요 스트레이 키즈 창빈입니다. 이번에 저희 스트레이 키즈가 스페셜 앨범으로 컴백하게 되었습니다.
이번에도 정말 많은 분들의 도움으로 멋진 앨범이 나올 수 있게 된 것 같습니다.
일단 우리 가족 항상 고맙고 사랑해요.
밤낮으로 저희 위해 고생해주시며 응원과 격려 아낌없이 해주시는 JYP 가족분들 정말 감사드려요.
같은 꿈을 향해 달려가고 있는 스트레이 키즈 멤버들!!! 오래오래 열심히 달리자! 고맙고 사랑한당!!
우리를 항상 사랑스러운 눈빛으로 바라봐 주는 우리 스테이!! 그 눈빛 변치 않게 계속 사랑스러운 모습만
보여줄 수 있도록 노력할게요!! 항상 감사한 마음으로 열심히 해서 성장하는 스트레이 키즈 될게용!!

63

안녕하세요. 스트레이 키즈 한 입니다.
일단 항상 멀리서 저희를 응원해주시는 우리 스트레이 키즈 가족분들 감사합니다.
그리고 언제나 서로 의지하고 점점 단단해지는 우리 멤버들도 항상 고맙고 앞으로 계속 열심히 달려봅시다.
그리고 항상 저희 스트레이 키즈를 위해 밤낮없이 일해주시고 고생해주시는 우리 JYP 식구분들 너무 감사드립니다.
또한 언제나 저희가 멋진 모습을 보일 수 있도록 도와주시는 우리 헤어, 메이크업 그리고 스타일리스트 형, 누나들 감사합니다!
마지막으로 항상 언제 어디서나 우리 스트레이 키즈가 빛날 수 있도록 같이 달려주는 우리 스테이! 고맙고 항상 힘이 되어주고 저희 스트레이 키즈의 이유가 되어주어서 고마워요. 여러분들은 저희에게 항상 감동이고 감사입니다. 이렇게 멋진 하루하루를 여러분과 같이할 수 있게 해줘서 감사합니다. 앞으로도 잘 부탁하고 사랑합니다.

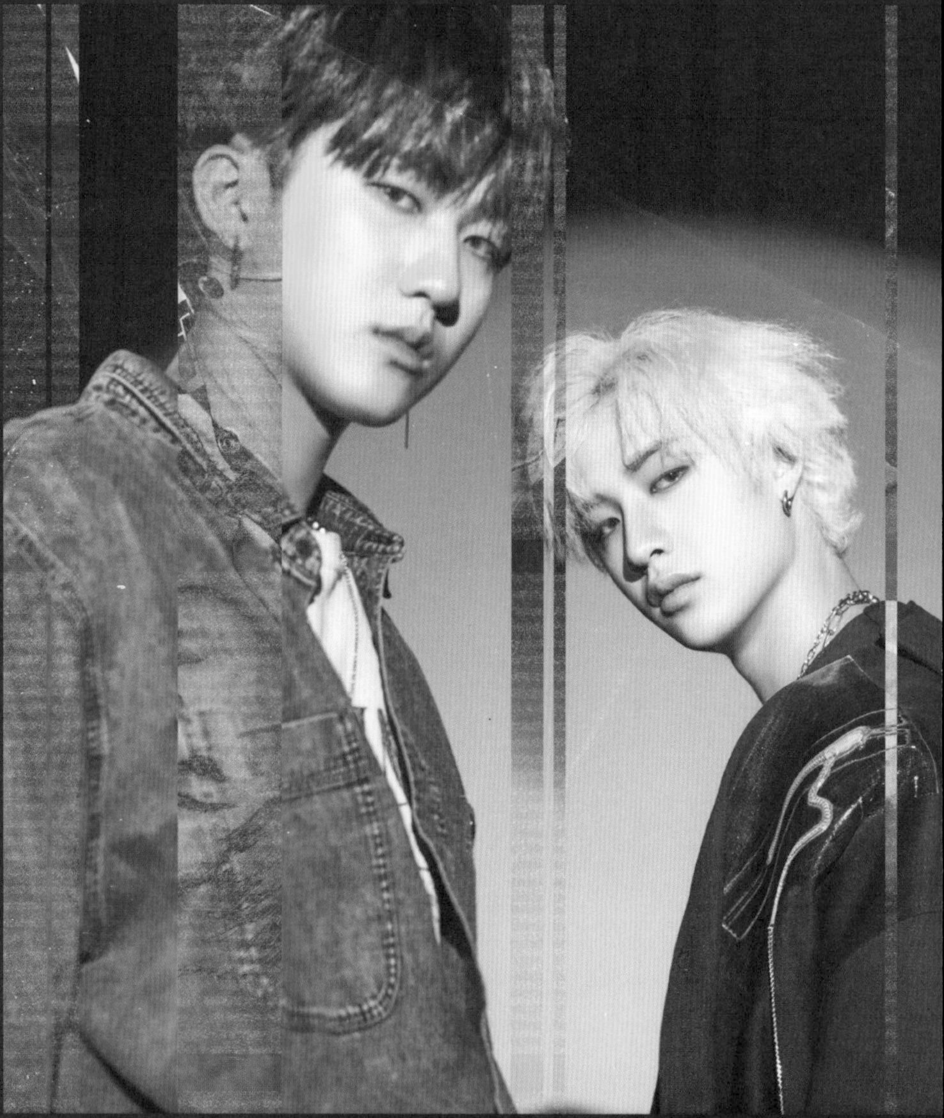

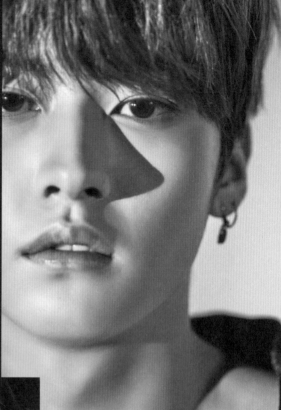

안녕하세요. 스트레이 키즈 리노입니다. 벌써 저희가 새 앨범을 내게 되었습니다. 항상 주위에서 저희를 도와주시고 저희를 위해 힘써주시는 JYP 식구분들 너무 감사드리고 성장할 수 있도록 도와주시는 보컬쌤, 춤 쌤들 감사합니다. 또 가족들도 항상 응원해주고 좋은 말 해줘서 좋은 힘이 되는 것 같아. 매일 붙어있는 스키즈 멤버들 힘들 텐데도 으쌰으쌰 하는 게 너무 좋고 진짜 9명의 형제 같아서 좋다. 앞으로도 계속 달려보자고~ 그리고 무엇보다 우리 스테이!! 스테이가 있어서 좀 더 멋지고 좋은 모습 보여주고 싶어서 노력하게 되고, 좋은 영향을 가진 사람이 되려고 노력해요. 스테이 덕에 제가 좋은 사람이 될 수 있는 것 같아요. 지금처럼 계속 함께 갑시다! 고마워요!♥

68

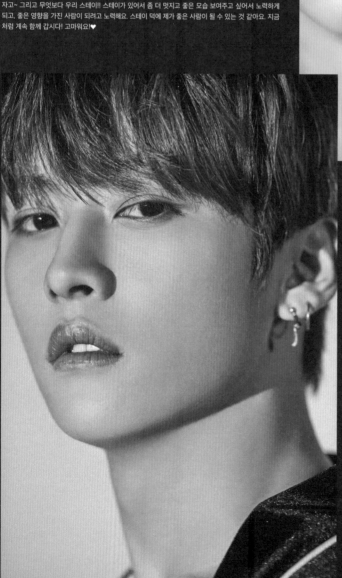

LEE KNOW

안녕 저는 승민이에요 +_+
우선 이렇게 금방 다시 스페셜 앨범으로 팬분들과 마주할 수 있게 해주신 모든 우리 JYP 식구분들 정말 감사드립니다. 이번에도 최선을 다해 열심히 활동하겠습니다~! 항상 도와주시고 믿어주셔서 감사해요.

그리고 우리 스테이! 스페셜 앨범으로 여러분을 찾아오게 된 건 또 처음인데 진짜 금방 돌아와서 놀라셨죠?! 이번에도 여러분께 좋은 영향 드릴 수 있게 열심히 준비했던 것 같아요. 진짜 그건 항상 생각하고 있어요~ 어떻게 하면 저힐 응원해주시면서 하루하루 지내시는데 활력을 드리고 행복하게 해드릴 수 있을까요. 단순한 행복보다는 사람이 사람을 응원하고 서로 좋은 영향을 주고받을 수 있는 게 얼마나 소중한지 계속 깨닫고 있어요. 그러면서 저 또한 매일매일 더 행복한 사람이 되고 있는 것 같아요. 여러분 앞에서, 또 뒤에서 항상 저답고 한결같은 사람이 될 수 있게 언제나 노력 잊지 않을게요. 너무 너무 고마워요.

그리고 우리 가족들! 떨어져 있어도 마음만은 항상 가족들 옆에 있는 것 같아. 언제든 의지할 수 있게 도와줘서 고마워. 꼭 더 바르게 성장해서 이제는 내가 뿌듯함을 안겨줄 수 있도록 항상 노력할게. 이렇게 많은 사랑 받을 수 있게 따뜻하게 키워줘서 다시 한번 고맙습니다. ㅇㅅㅇ

마지막으로 우리 멤버들, 덕분에 요새 웃음이 많아진 것 같아. 같이 있으면 진짜 요새 왜 이렇게 웃긴지 모르겠어. 촬영할 때 건 평상시 건ㅋㅋㅋㅋ... 슬슬 이것저것 다 익숙해지고 있는데 처음 같은 마음 잊지 않고 앞으로도 서로서로 의지하면서 잘 헤나갑시다! 허허

저희 스트레이 키즈가 헤나갈 수 있는 모든 게 다 주변에서 도와주시는 분들이 안 계시다면 저희들 혼자서는 못해나가는 것들인 것 같아요. 앞으로도 꾸준히 감사함 속에서 성장해나가는 사람이 되겠습니다!

71

I.N

73

안녕하세요. 스트레이 키즈 아이엔입니다. 저희 스트레이 키즈가 Clé 2: Yellow Wood로 컴백하게 되었는데요. 저희 컴백할 수 있게 도와주신 박진영 PD님, 사장님, 부사장님 정말 감사드립니다. 이번 앨범 활동도 열심히 하겠습니다! 그리고 항상 저희 잘 될 수 있게 도와주시고, 응원해주시는 1본부 분들이 이번 활동도 응원에 힘입어 열심히 하고 멋진 모습 많이 보여드리겠습니다. 항상 열심히 하는 스트레이 키즈 되겠습니다. 이 밖에도 항상 저희 응원해주시는 모든 JYP 식구 분들 앞으로도 열심히 하고, 겸손하고, 성실한 스트레이 키즈 되겠습니다. 감사합니다! 그리고 언제나 응원해주는 소중한 가족들 항상 너무 고마워요. 그리고 저희 예쁜 머리해주시고 예쁜 메이크업 해주시는 헤메 스텝 누나들 이번 활동도 잘 부탁드려요! 그리고 저희 옷 예쁘게 입혀주시는 의상팀 분들! 항상 예쁜 옷 준비해주셔서 감사드려요. 그리고 우리 형들 많이 바쁜데 항상 잘 챙겨줘서 너무 고맙고 이번 앨범 활동도 열심히 해보장♥♥많이많이 사랑해요♥ 마지막으로 우리 스테이~~~~ 저희가 이번에 컴백하게 되었어요. 우리 스테이 덕분에 이렇게 항상 좋은 노래, 멋진 모습으로 컴백할 수 있는 거 같아요. 아직은 부족하지만 항상 멋진 모습 보여줄 수 있도록 노력하는 스트레이 키즈가 될테니 항상 저희와 함께 해줘요 알겠죠? 고맙습니다 사랑합니다!

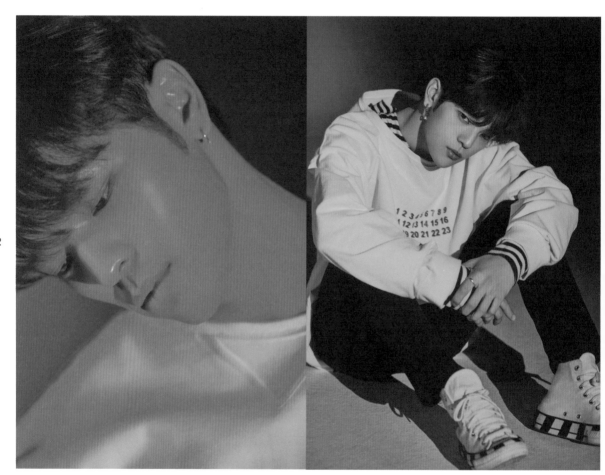

먼저 항상 저희 스트레이 키즈를 위해 노력해주시는 JYP 회사 식구분들 정말 정말 감사드립니다. 회사 식구분들이 밤낮으로 열심히 도와주셔서 저희가 이렇게 성장할 수 있었습니다! 그리고 우리 멤버들 데뷔하고 1년이란 시간이 지났지만 늘 옆에 있어줘서 고맙다ㅎㅎ 오래가자!! 또 우리 가족! 어머니, 아버지, 형, 할아버지, 할머니 등등 너무 고마워요. 늘 응원해주는 거 알아요. 앞으로 더 멋있는 우진이가 되도록 할게요!! 마지막으로 우리 스테이~♥ 제가 매번 하는 말이지만 한 번 더 할래요ㅎㅎㅎ '스테이가 있기에 저희가 존재할 수 있어요.' 힘들 때 응원해주고 힘이 되는 말 많이 해줘서 고마워요!! 아 무대 위에서 관객석 바라보면 정말 너무너무 예쁜 거 알아요..??♥ 이렇게 많은 스테이가 저희를 사랑해주고 있다는 게 정말 신기하고 그 순간은 제가 정말 그 누구보다도 행복하다고 느껴요!! 스테이는 저의 행복이에요! 행복 많이 받았으니까 이제 제가 스테이에게 더 큰 행복으로 돌려 줄게요ㅎㅎ 그러니까 항상 제 곁에 stay해줘요♥ 스테이!! 내가 많이 아끼고 정말정말정말 사랑해요!♥ 그럼 안녕!!!!

WOOJIN

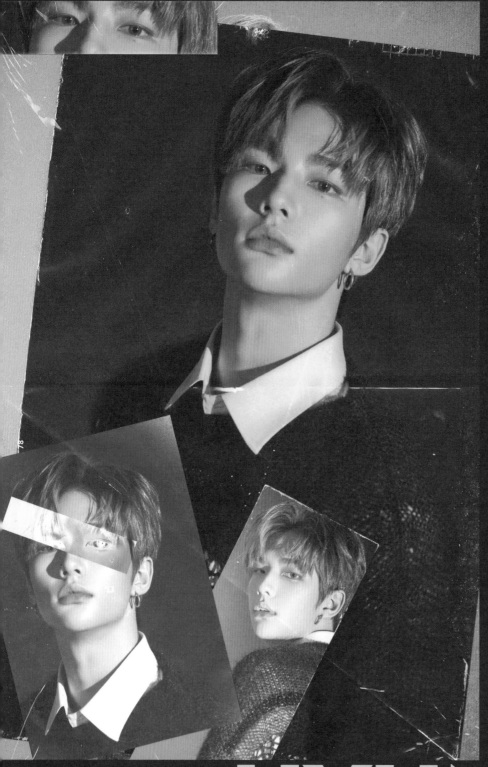

HYUNJIN

이번 Clé 2 앨범에도 감사한 분들이 굉장히 많은데요.
일단 우리 가족! 엄마 아빠 항상 감사합니다.
앞으로도 꼭 효도하는 효자 될게요.
밥 잘 챙겨 먹고 다니니깐 걱정하지 마세요. 사랑합니다!
우리 멤버들 찬이형, 우진이형, 민호형, 창빈이형, 지성이, 승민이, 용복이, 정인이 이번 앨범 준비하는 거
힘들었을 텐데 우리 다같이 힘내서 앨범 낼 수 있었던 거 같아. 앞으로도 파이팅 하자! 사랑한다.
그리고 JYP 가족분들 항상 안 보이는 곳에서 열심히 해주셔서 너무 감사드립니다! 앞으로도 같이 으쌰으쌰 합시다~!

그리고 마지막으로 우리 스테이!!!
벌써 스테이와 함께한 또 하나의 앨범이 나왔습니다.
여러분들과 나란히 한걸음 한걸음 천천히 걷다 보니 어느새 여러분들과 두 번째 봄을 맞이하고 있어요♥
사실 이번 앨범 준비 기간이 길진 않았지만 그 어느 때보다 멋있기 위해 정말 많은 노력했으니까요!
스테이의 많은 사랑 부탁드립니당♥
사랑하고 또 사랑합니다. 스테이 앞으로도 함께해요♥

Thanks to. JYP 회사분들
처음부터 스트레이 키즈와 끝까지 함께, 큰 기회를 주셔서 진심으로 감사합니다. 2019의 스트레이키즈도 열심히 하고 멋지게 컴백하는 모습을 보여드리도록 하겠습니다.
2018년 3월 25일 데뷔부터 지금까지 계속 열심히 잘 지켜봐 주셔서 감사합니다! 모든 형과 누나들이랑 같이 열심히 달리면서 즐길 때도 있고, 같이 좋은 추억들을 만들 수 있으면 좋겠습니다! 앞으로 많이 지켜봐 주세요! 감사합니다.
열심히 하겠습니다. 스트레이 키즈 화이팅!

Thanks to. The Lee family
한국에 있으면서, 모든 가족분들이 많이 보고 싶지만 계속 열심히 하면서 꼭 좋은 모습을 보여드리도록 노력하는 필릭스 될 거예요.
사랑해요!

Thanks to STAY:
스테이! 안녕 스테이~
6월인데 이렇게 바로 새로운 타이틀곡과 멋진 모습을 보여줄 수 있어서 좋아요. 생각보다 시간 많이 지났지만 그래도 그동안 좋은 추억을 만들고 스테이의 사랑을 받아 항상 든든한 마음을 가지고 있어요.
길은 멀지만 같이 좋은, 따뜻한 모습으로 걸읍시다. 고마워요 스테이!

Stay! Hi, stay!
It's June and we're already showing you a new title song and a much different side.
From back then til now, we've made new memories together, you guys always giving us strength to push on so thank you so much.
The road is narrow and far, but let's walk together in a nice, warm manner! Thank you Stay!

Thanks to Stray Kids:
멤버들 안녕~
벌써 6월이다. 생각보다 시간도 빨리 지나가고, 또한 다들 바쁘게 활동하면서 새로운 모습과 일이 많이 생겼지만, 같이 할 수 있다는 게 너무 고맙다고 말해주고 싶다. 9명 같이 서로 도와주면서, 좋은 길 걷는데, 같이 한 몸, 한마음으로 한 목표를 잡을수록 열심히 가보자고!
화이팅!

01 밟힌 적 없는 길

Lyrics by 방찬 (3RACHA), 창빈 (3RACHA), 한 (3RACHA)
Composed by Matthew Tishler, Andrew Underberg, Crash Cove
Arranged by Matthew Tishler, Crash Cove

좀 걷다가 방황 | 좀 헷갈려 방향 | 얼음 다시 당황 | 답답한 이 상황 | 나침반 믿고 난 걸어가 하지만 늘 익숙한 장면 | 밟힌 적도 없는 길로 나아가 대로 말고 내 방식대로 | 더 이상 앞이 안 보여도 I'll step out 겁 없이 날 던져 | 뛰쳐나가 후회 없이 달려가 막막해도 I will never stop | 막막해도 I will never stop 막막해도 I will never

Original publisher JYP Publishing (KOMCA), Laundromat Music, Wonderberg Music, Pen Music **Sub-publisher** JYP Publishing (KOMCA), Fujipacific Music Korea Inc. **All instruments by** Crash Cove & Matthew Tishler **Computer programming by** Crash Cove & Matthew Tishler **Vocals edited by** 장한수 at Rcave Sound **Recorded by** 장한수 (JYPE Studios) at The Vibe Studio **Mixed by** 이태섭 (JYPE Studios) at Rcave Sound **Mixing assisted by** 장한수 (JYPE Studios) at Rcave Sound **Mastered by** 박정언 at Honey Butter Studio

02 부작용

Lyrics by 방찬 (3RACHA), 창빈 (3RACHA), 한 (3RACHA)
Composed by 방찬 (3RACHA), 창빈 (3RACHA), 한 (3RACHA), 탁 (TAK), 원택 (1Take)
Arranged by 탁 (TAK), 원택 (1Take)

날 믿고서 날 던졌어 | 하지만 왜 휩쓸리고 있을까 | 날 믿고서 날 던졌어 | 하지만 왜 아프기만 한 걸까 | 다 비켜 (사실 난) | 내가 맞아 (무섭다) | 다 두고 봐 (할 수 있나가) | 그 말들을 지키지 못할까 두렵다 | 점점 난 달라져 왜 | 안과 밖이 달라져 가는데 | 물들어가는 난 지금 | 머리 아프다 | 머리 아프다 | 머리 아프다 | 아 잠깐 나 이상해 왜 초점이 흐려 | 왜 안 끝나 불안한 소리가 계속 들려 | 여기서도 난 계속 | 패기 넘쳐 다 이겨낼 거라 믿었어 | 객기도 이젠 못 버텨 | 너무 쉽게 벗겨 더 아픈 걸까 | 안 변한다 백날 Yah | 외쳐 대던 내가 왜 | 주변 상황 따라 | 수도 없이 변하고 있는 걸까 | 그냥 툭 건드리고 지나간 사람이 누구냐에 따라 | 왜 내 반응도 달라질까 | 난 또 내가 좋아야 리듬 타던 고개 | 남들 따라 리듬 타게 돼 | 이러다 취향도 달라질까 | 근자감이라는 알약을 입에 집어삼켜 (꿀꺽꿀꺽) | 너무 많이 먹었나 이젠 용기보다는 걱정 (덜덜덜덜) | 다 변해가고 있어 1부터 10까지 모두 (점점 점점) | 내 의지완 상관없이 올라오는 부작용 | No no no no

Original publisher JYP Publishing (KOMCA), NEWTYPE Ent. **All instruments by** 원택 (1Take), 탁 (TAK) **Computer programming by** 원택 (1Take), 탁 (TAK) **Background vocals by** 원택 (1Take), 방찬 (3RACHA), 창빈 (3RACHA), 한 (3RACHA), 아이엔 **Recorded by** 이상엽 (JYPE Studios) at The Vibe Studio **Mixed by** Phil Tan at The Ninja Beat Club **Additional engineering by** Bill Zimmerman **Mastered by** Dale Becker at Becker Mastering, Pasadena, CA **Mastering assistant** Mandy Adams.

03 별생각

Lyrics by 방찬 (3RACHA), 창빈 (3RACHA), 한 (3RACHA)
Composed by 방찬 (3RACHA), 창빈 (3RACHA), 한 (3RACHA), TIME, GRVVITY
Arranged by TIME, GRVVITY

별의별 생각이 드는 밤 | 평소처럼 밤하늘을 바라봐 난 왜 | 별이 많아지고 더 반짝일수록 | 더 초조해지고 안달이 날까 Yeah | 요즘 따라 저 별들이 나를 내려보는 듯 기분이 나빠 | 부는 바람 따라갈 걸 그랬나 역풍을 맞으며 뒤처진 걸까 나 | 아무나 못 된다 | 난 아무나가 아니라고 외쳐 매일 | 나도 알아 내 상황 처지 | 그래도 난 이 길을 계속 걷지 | 가도 가도 제자리걸음 Treadmill | 이 대자뷰는 반갑지 않아 괴롭지 | 두 개의 길 위기와 기회 중 | 내가 온 이 길은 위기인 걸까 모르는 척 계속 되묻지 | 반짝이는 저 별처럼 되고 싶다고 | 다 저 별이 될 순 없으니까 Bling bling | 떨어지는 저 별처럼 나도 떨어질까 봐 또 겁나 | I guess I'll never ever find out | 별생각이 들어 | 갈까 말까 Yah | 별생각이 들어 | 별생각 다 하는 난 | 갈 길을 정해도 왜 헤맬까 | 저 별을 바라보면서 달렸지만 | 내 갈 길은 막막해서 또 겁나 | 저 별처럼 될 수 있을까 | 너무 멀리 와버린 걸까 Yeah | 뒤를 돌아봐도 똑같아 Yeah | 어두운 곳에서 난 빛나는 별 하나만 의지하면서 걸어왔는데 | 알아 내 의지와 선택으로 걸어 걸어왔던 길이지만 | 자꾸 다른 곳에 눈이 돌아가 | 미련일까 진짜 안 되는 걸 알지만 후회로 바뀔까 두렵다 | Ey 누가 안 될 걸 알면서 도전하겠어 들어와 보니까 다칠 때가 많아 | 그래도 열심히 하는 척은 한다만 혹시 뒷걸음질 치면 누군가 난 무책임하다 손가락질할까 | 별을 바라보고 왔던 길은 점점 | 울창한 숲 사이로 가려져 정적 | 혹시 내가 바라봤던 별은 이미 유성처럼 떨어진 건 아닐까 두려워져 | 솔직히 내가 선택한 건 맞는데 | 내 마음대로 안 될까 봐 불안해 | 날 둘러싸는 기대만 더 커져 | 더 기대다간 넘어질까 두려워 | Woah (Hey) | 뒤돌아 가볼까 | Woah (Hey) | 뒤돌아보지 마

Original publisher JYP Publishing (KOMCA), YG Entertainment Inc. (KOMCA) **Keyboard by** TIME, GRVVITY **Background vocals by** 방찬 (3RACHA), 창빈 (3RACHA), 한 (3RACHA), 우진, 승민 **Vocals edited by** YUE **Recorded by** 장한수 (JYPE Studios) at The Vibe Studio, 이창선 at Prelude Studio **Mixed by** 신성 at Blackboots Studio **Mastered by** 박정언 at Honey Butter Studio

04 Mixtape#1

Lyrics by   방찬 (3RACHA), 우진, 리노, 창빈 (3RACHA), 현진, 한 (3RACHA), 필릭스, 승민, 아이엔

Composed by   방찬 (3RACHA), 우진, 창빈 (3RACHA), 한 (3RACHA)

Arranged by   이우민 'collapsedone'

올라갈 수 있을까 | 올라갈 수 있을까 | 내가 가는 길이 맞다 틀리다 판단하기보단 | 내가 원하고 즐길 수 있는 길을 걸어가 | 험난한 이길 위에 내게 주어진 약은 | 나 자신뿐인 걸 알기에 날 믿고 의지해 | 착각 속에 있는 건지 | 아냐 그냥 환상 속에 빠진 것만 같아 | 꿈속에서 꾸던 사람들을 만나 | Time to go 이제 함께 시작하려 해 | Placebo 효과 사실 아무 효능 없는 말 하나에 속아 | 자신 없는 동안 꾸준히 또 속아 주는 척 들이켜 그럼 찾아와 영감이 말이야 | 내가 보는 대로 또 보고 싶은 대로 | 그냥 하는 대로 그냥 다 하고 싶은 대로 | 부정적인 필터를 벗겨 내서 성취감으로 바뀌 | 믿음은 없던 것도 생기게 하더라고 Trust myself | Cause later when I become addicted to life | 아플 때 먹었던 약은 사실 효과 없지만 | 날 위로해 난 날아가 저 위로 해를 향해서 Yeah | It's all up in my mind 날 속여줘 This time | Laying down restless regretting life choices | An anchor dragging me down like I always feel hopeless | But again I'm not the kind to fall in Devil's hands | Gotta drop my rusty chains this is where I stand | This is my life my time won't stop thank God I'm back alive resurrected with the right mind believing myself all times we gonna make it | Proud of ourselves we will never break into many ah | 상처마저 낫게 해줄 긍정적인 | 믿음 계속 가 내게 작용하는 Placebo | 솔직히 말해 부정적일 필요 없지 | 나 자신을 믿어 잡생각 따윈 버리고 | Placebo 걸어 시동 꿈을 시도 한 계단 한 계단씩 올라가 미동 없는 꿈을 향한 믿음 | 남들 다 부러워하는 내 작업물의 양은 | 할 수 있단 기대와 믿음이 있었기에 가능 | 어릴 적 꿈에서 본 | 행복한 모습들 찾아올 거라 믿어 | 내가 꾼 꿈들이 곧 | 행복한 현실로 다가올 거라 믿어 | 올라갈 수 있어 난 | 올라갈 수 있어 난

Original publisher JYP Publishing (KOMCA) **Computer programming by** 이우민 'collapsedone' **Synths by** 이우민 'collapsedone' **Piano by** 이우민 'collapsedone' **Bass by** 이우민 'collapsedone' **Additional editor** Jiyoung Shin NYC **Background vocals by** 방찬 (3RACHA), 우진, 리노, 승민, 한 (3RACHA) **Recorded by** 노민지 at JYPE Studios **Mixed by** 윤원권 at Studio DDeepKICK **Mastered by** 박정언 at Honey Butter Studio

05 Mixtape#2

Lyrics by   방찬 (3RACHA), 우진, 리노, 창빈 (3RACHA), 현진, 한 (3RACHA), 필릭스, 승민, 아이엔

Composed by   방찬 (3RACHA), 우진, 리노, 창빈 (3RACHA), 현진, 한 (3RACHA), 필릭스, 승민, 아이엔

Arranged by   방찬 (3RACHA)

처음 모두 만나 인사 한날 기억나 | 걸음마를 떼는 연습에 우린 아기 엄마처럼 | 이유식을 만들 듯 뭐든 세심하게 | 하나하나 다 신경 써 챙겼던 날 | 그 열정에 비례한다면 사람들의 | 반응은 불가능해 반응 없는 그 반응에 | 반응했다면 상처만 심하게 반응해 | 아마 이 곡도 없겠지 그저 잠시 목마르네 | 그때의 설렘을 잊은 듯해 | 달리 말하면 전에 비해 꽤나 의젓해진 듯해 | 하다 보니 시간에 쫓기며 이것에 진 듯해 | 전득이 진드기마냥 붙어있기엔 지독해 | 끝이란 해충제 이 압박감에도 | 내 꿈은 주제 못 해 내 앞이 까매도 | 내 열정이 손전등이 되어 앞을 밝혀 | 아홉이 모이면 등대가 돼 상황이 바뀌어 | 다시 감아 버리지 말라고 빛이 | 비춘 곳에 그림자가 서 있으니 | 돌아보면 그곳에 밝은 빛이 | 너를 기다릴 거야 | Am I doing right or not | 그땐 솔직하게 불안했었어 근데 | 지금 아홉을 비춰주는 많은 꽃들이 있기에 | 불확실하지 않아 | One for the fame, one for the game | 언제라도 좋으니 그들처럼 | One for the way, I'm gonna take | 어디라도 이 노래 흥얼거려 | 멀어 더 멀어져 | 버린다 해도 난 멈추지 못해 | 어두워 보이는 | 그림자도 빛이 있어야 존재 | 우린 하나같이 같은 빛만 보고 달려온 거야 | 음악이랑 춤 하나로 통한 단순한 9명의 우애야 | 후회하지 않아 조금 지쳤더라도 | 치킨 먹으면서 웃는 게 즐거울 뿐이야 | 흑과 백이 대비한 세상을 따라가 Like crosswalk | 그럴 수밖에 없는 일상을 살아가 난 또 | 맘 편히 그냥 웃자 맘 편히 그저 그런 | 단순함 쉽게 생각해 그냥 열심히 할 뿐이야 | Hey, we never give up we never give up | We never give up 절대 포기 안 해 | I believe my family | 우리에게 빛이 비치니 | 다 이겨낼 수 있어 그림자가 | 우릴 삼켜도 포기 안 해 | 난 Wake up 내 기쁜 Dreams fade away | 숨 못 쉬겠어 내 머리 답답해지네 | 똑같은 행동을 계속 Replay | 시간 지나가도 느껴질 수 없네 | 내 머릿속에 Colourless voices | Stepping in 내 마음속에 Hopeless choices | I know I can't succeed if I feel like this | Leave like this scarred and feared pain like this | 나도 그럴 때 있어 | 힘들고 지칠 땐 | 하늘을 바라봐 | 항상 빛날 수는 없지만 | 어둠이 있어야 | 더 빛날 수가 있어 | 그러니까 다시 생각해봐 | 달려왔던 길을 돌아봐 | 어느새 이만큼 왔잖아 | 포기하긴 너무 아깝잖아 | 힘든 시간은 다 지나가는 거야 | 걱정 따윈 모두 접어 | 저 하늘로 날려 Fly

Original publisher JYP Publishing (KOMCA) **Computer programming by** 방찬 (3RACHA) **Guitar by** 적재 **Background vocals by** 방찬 (3RACHA), 우진, 리노, 창빈 (3RACHA), 현진, 한 (3RACHA), 필릭스, 승민, 아이엔 **Additional editor** Jiyoung Shin NYC **Recorded by** 곽정신, 정모연, 홍은이 at The Vibe Studio **Mixed by** 이태섭, 임홍진 at JYPE Studios **Mastered by** 박정언 at Honey Butter Studio

06 Mixtape#3

Lyrics by 방찬 (3RACHA), 우진, 리노, 창빈 (3RACHA),
현진, 한 (3RACHA), 필릭스, 승민, 아이엔

Composed by 방찬 (3RACHA), 우진, 리노, 창빈 (3RACHA),
현진, 한 (3RACHA), 필릭스, 승민, 아이엔

Arranged by 방찬 (3RACHA), Doplamingo

오늘도 어김없이 독서실로 향하는 발걸음 가볍지만은 않아 | 또다시 시작된 지루한 시간들에 힘이 빠지고 시계만 보게 돼 | 가끔은 말이야 이런 생각 들어 잘할 수 있을까 | 최대한 부딪혔던 순간 이뤘던 순간 그 사이에 공존해 노력해 볼까 | 걱정하지 마 이때까지 달려온 길 그저 널 위한 과정이야 | 꽃도 있잖아 만개한 순간 아닌 과정 그게 더 아름다운 거야 | 실시간의 정신 마음 심란한 게 당연 맞아 좋은 결과 보기 위한 하나의 과정이야 | 여태껏 많은 시험 겪었잖아 다름없이 인생이 달렸단 소리는 과장이야 | 그러니 걱정 말아 충분히 잘하고 있어 우린 아직 어려 그게 마지막이겠어 | 예전에 아픔 겪은 우리도 다시 힘냈어 고생길 고행길 다 버텨온 너를 믿어 계속 | I know, we know 너라면 잘할 수 있다는 걸 포기하지 말아 | 여기까지 잘 버텨왔는데 뭐가 걱정이야 너를 믿어 | Blessings wait for you for you | 많이 힘들었지 그동안 졸린 잠을 참아가며 살아 | 시간이 많이도 지났나 봐 너의 표정에서 드러났어 | 4380일 동안 숫자들과의 싸움에서 지고 이기고 막 | 밤새 너를 가뒀던 방 안을 뛰쳐나와 진짜로 수고했다 이제 꽃길만 걷자 | 쉴 틈 없이 달려와 반복되는 긴장 속에 쉽지 않은 길을 선택했던 나 | 꽃이 피려면 겨울이 지나가야 돼 꽃에 피는 열매를 보았으면 해 | 긴장 마음 끌리고 겁이 나 늦지 않게 문제 푸르고 시간 봐 | Tick tock 시간 지나가도 남았어 댕댕 끝났지만 걱정 많아져 | Just please stop asking how I did it, leave my business | Cause ma markings on my papers tell me how much pain was useless | But again I'm just getting started, there's always other ways | Gotta fill up my story, this is my buffet | 그 감정 아직 잘 모르지만 왠지 모르지만 알 것 같아 그 감정 | 괜찮아 너는 충분히 잘할 수 있어 이 말 한마디가 큰 힘이 되더라 | 어린 날개를 접기 전 마지막 통과의례 | 그동안 남겨왔던 발자국들은 어딜 향하게 되는 걸까 | 하루를 위한 기록들은 앞으로 나아갈 밑거름이 되었을 거야 | It ain't over

Original publisher JYP Publishing (KOMCA), Copyright Control **Computer programming by** Doplamingo **Acoustic guitars by** 소준, Doplamingo **Electric guitars by** 소준, Cash Pie **Keyboard by** Doplamingo **Drum programming by** Doplamingo **Bass by** Doplamingo **Background vocals by** 방찬 (3RACHA), 우진, 한 (3RACHA) **Vocals edited by** YUE **Recorded by** 장한수 (JYPE Studios) at The Vibe Studio **Mixed by** 장한수 (JYPE Studios) at Rcave Sound **Mastered by** 박정언 at Honey Butter Studio

07 Mixtape#4

Lyrics by 방찬 (3RACHA), 우진, 리노, 창빈 (3RACHA),
현진, 한 (3RACHA), 필릭스, 승민, 아이엔

Composed by 방찬 (3RACHA), 우진, 리노, 창빈 (3RACHA),
현진, 한 (3RACHA), 필릭스, 승민, 아이엔

Arranged by 베르사체, 방찬 (3RACHA)

몇백 갈래로 나눠진 길은 항상 답 없이 | 무한적인 범위로 날 당황시켜 놓지 | 남들과 달라질까 갸우뚱거리며 눈치 봐 | 혹여 내 길이 틀리면 괜히 얼굴 붉힐까 | 언제부터 음악은 내 길에 개입해 날 맘대로 움직여 | 또 갈 길을 정하고 행동도 다 제 맘대로 | 하다 실패하면 다시 일어나지 | 나 포기한 줄 알았던 사람들에게 혀 내밀고 메롱 | 보물섬이 어딘지도 모른 채 | 긴 항해에 많은 암초 망망대해 | 나침반 하나로 내 꿈을 찾아 | 남과 비교하지 않고 꿈에 다가가 | 넌 어딜 향해 갈래 주변의 물음답을 몰라 | 목적 없는 항해 이젠 그만 헤매야 해 | 자신의 나침반은 반신반의 바늘이 마구 돌아갈 때 | 억지로든 아니든 간에 다른 이의 방향감에 따라가네 | 남들이 다 따라갈 때 난 안 갈래 | 딴따라라 한다 해도 나의 나침반이 | 그들 눈에 고장 나 보여도 | 내 의지대로 움직이네 현실판 잭 스패로우 | 내가 떠 있는 이곳은 그 누구도 항해한 적이 없었대 | 깊고 어두운 바다 위 | 처음이라서 두려웠지만 | 다 떠내려갈 때 우린 거슬러 갈래 | 바다 위 떠도는 선원 | 선장이 되는 게 소원 | 음악이란 바다 남들이 외면해도 외롭지 않아 | As long as I stay with my heart | 고장 난 나침반을 의지해 가 Yeah | 어두운 밤 달 밑에 떠 있는 나 | 저 별과 달이 보여 주러나 | 나의 항론 대체 어딜 향하나 | 물음표 대신 느낌표의 확신이 없나 | 정신 차려 포기 말아 | 네가 향하는 곳 그래 맞아 | 그것이 뭔들 네 선택을 믿고 그냥 따라 | 해낼 거야 널 믿어 And trust you forever | 쉼 없이 오는 해류에 휩쓸려도 | 멈추지 마 내 길을 나아가 | 흔들릴 순 있어도 난 | 결코 부서지진 않아 | 하늘 위로 계속 쳐다봐 | I be dreaming high up in the sky | 방향 없이 마음 편히 바람 따라가 | 우릴 믿고 구름 속을 Just gotta fly | Sail across the world, this is our time | Stray Kids 9 or none, we're gonna cross the finish line | No stopping time when all we see are goals in our sights | No turning back, push forward, rise above the light | 나 혼자 걸어 다닐 때가 많아 | 텅 비어있는 바다랑 사막 | Looking for a road, got no place to go like | 난 아무것도 보이지 않아 | It's been a year and it's true now | Call me captain, I'll do it for my crew now | 2018 그때가 시작 | 내겐 소중한 내 팀은 내 나침반 | 딴 배들이 바삐 움직여도 | 손에 놓여진 나침반 하나로 | 끝없이 펼쳐진 넓은 이 바닷속에 | 천천히 조금씩 목표를 향해 가 | 오직 여기서만 볼 수 있는 게 많아 후회하지 마 | 그래 버텨야만 꿈꾸던 것들 다 볼 수 있어

Original publisher JYP Publishing (KOMCA) **All instruments by** 베르사체, 방찬 (3RACHA) **Computer programming by** 베르사체 **Background vocals by** 방찬 (3RACHA), 승민 **Recorded by** 이상엽 (JYPE Studios) at The Vibe Studio **Mixed by** 임홍진 (JYPE Studios) at 논현동 스튜디오 **Mixing assisted by** 임세희 (JYPE Studios) at 논현동 스튜디오 **Mastered by** 권남우 at 821 Sound

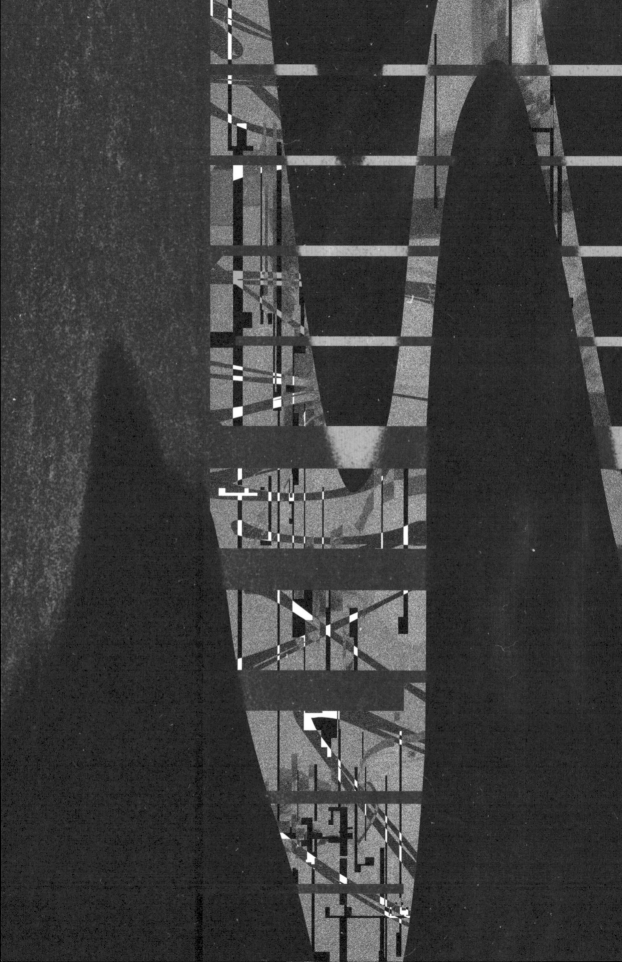

STRAY KIDS's THANKS TO

안녕하세요, Stray Kids 입니다.

이번 앨범에서도 저희를 잘 챙겨주신 박진영 피디님, 정욱 사장님, 조해성 부사장님, 변상봉 부사장님, 표종록 부사장님 진심으로 감사드립니다.
저희 Stray Kids를 위해 항상 최선을 다하는 1본부 식구들도 감사합니다. 지은 대표님, 채윤누나, 수진누나, 정한이형, 윤정누나, 선미누나, 수연누나, 화목이형, 미희누나, 은섭이형, 은영누나, 다영누나, 유미누나, 유진누나, 창진이형, 재준이형, 상윤이형, 지은누나, 성아누나, 연빈누나 항상 잘해주셔서 너무 감사드립니다. 화이팅!

항상 감사하게 생각하는 지영누나, 신인개발팀의 유리누나, 영균이형, 성하형, 유진누나, 현경누나, 시은누나, 준구형, 동환이형, 진누나, 경태형 감사드립니다. 형 누나들 덕분에 잘 성장할 수 있었습니다! 그리고 뮤직팀의 하나누나, 여주누나, 순형이형, 정민누나, 은수누나, 상희누나, 좋은 노래 만들 수 있게 도와주셔서 감사합니다. 프로덕션팀의 지형누나, 보현누나, 태은누나, 청은누나, 연아누나, 가영누나, 소연누나, 지윤누나, 아라누나, 건이형, 현준이형, 호현이형, 종원이형, 시내누나 여러 방면으로 많이 도와주셔서 감사합니다! 좋은 노래 만들 수 있게 녹음 도와주시는 레코딩 엔지니어팀의 태섭이형, 혜진누나, 홍진이형, 세희누나, 한수형, 상업이형 감사드립니다!

아티스트 2본부 회원본부장님, 지혜누나, 종구형, 아리누나, 경현이형, 성수형, 민성이형, 상호형, 동현이형, 상경이형, 주용이형, 예진누나, 혜수누나, 지수누나, 예린누나, 서영누나, 태림누나, 혜민누나, 나경누나, 연정누나, 나래누나, 하아린누나 감사합니다.

아티스트 3본부 신현국 본부장님, 해준이형, 준길이형, 보라누나, 효윤누나, 선화누나, 유주누나, 주연누나, 수원누나, 한미누나, 러정누나, 용교형, 종범이형, 래창이형, 용진이형, 다설누나, 혁준이형, 아름누나, 새롬누나, 소라누나 항상 감사드립니다!

Studio J 본부의 문호윤 본부장님, 유영준 팀장님, 성진누나, 경신이형, 예진누나, 무준이형, 예린누나, 지현누나, 지은누나, 승희누나, 승민누나, 강순이형, 하람이형, 시형이형, 다열이형, 혜원누나, 광훈이형, 가영누나, 지희누나 감사합니다!

배우 매니지먼트 가을누나, 상현형, 순호형, 재영누나, 태형이형, 대훈이형, 성범이형, 상훈이형, 원철이형, 영아누나, 준수형, 찬희형, 준호형, 태준이형, 나래누나, 다애누나, 기철이형, 영주누나, 화영이형 너무 감사드립니다. 좋은 모습 보여드리기 위해 노력하겠습니다.

퍼포먼스 디렉팅 팀 남용쌤, 형웅쌤, 희소쌤, 광열쌤, 태훈쌤, 미란쌤, 다솔쌤, 경석쌤, 규진쌤, 홍보 팀의 상호 이사님, 윤지누나, 서윤누나, 다효누나, 지은누나, 아현누나, 예은누나, 컨텐츠유통팀의 피현식 팀장님, 지연누나, 순성이형, 방송총괄팀의 영걸이형, 진철이형! 비서팀의 경민 기사님, 상익이형, 미라누나 감사드립니다.

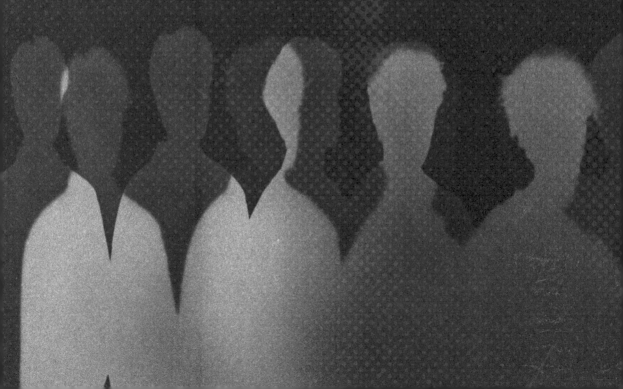

광고팀의 재호형, 정윤이형, 호수형, 성민이형, 나은누나, 유진누나! 광고 촬영장에서 항상 편하고 즐거운 분위기에서 촬영할 수 있게 도와주셔서 감사드립니다!! 계속해서 성장해나가는 꼭 보여드리겠습니다.

공연사업팀의 은옥 팀장님, 승은누나, 효정누나, 유진누나, 세빈누나, 정민누나, 진아누나, 세림누나! 언베일 투어를 비롯한 여러 공연들에서 항상 잘 챙겨주시고 신경 써주셔서 감사드립니다. 앞으로도 멋진 무대로 꼭 뿌듯하게 해드릴게요!!

경영지원실의 배용호 실장님!! 감사드립니다. 회계팀의 효정 팀장님, 윤주누나, 진영이형, 보람누나, 세진누나, 교희누나, 준호형! 여러 가지로 잘 챙겨주셔서 감사드려요! 인사총무팀의 주성헌 팀장님, 재서형, 현주누나, 강민이형, 준호형, 한욱이형! 응원 많이 해주셔서 감사드립니다!! 앞으로도 많은 응원 부탁드려요ㅎ

법무팀의 박종욱 팀장님, 창우형, 다희누나 감사드립니다! 그리고 IR팀 천영환 팀장님, 영욱이형 감사드립니다. IT팀 박찬 팀장님, 시용이형, 시현누나, 찬무형 감사드립니다 그리고 CSR팀 김미경 팀장님 감사드립니다! 그리고 F&B팀 김선경 팀장님, 재영이형, 도영누나, 미진누나, 영완이형, 영준이형, 근호형, 경철이형, 지온누나 감사드립니다. 카페사업팀 송성호 팀장님, 세라누나, 주희누나, 현호형, 주영이형, 은서누나 감사드립니다.

픽처스의 라영 실장님, 윤성 누나, 정람 누나, 혜리 누나! 감사드리고 앞으로도 많은 관심 부탁드립니다!

퍼블리싱의 정윤 이사님, 다예 누나, 현우 형, 소형 누나, 승민 누나!! 보내주시는 메일 항상 잘 받아보고 있습니다. 잘 챙겨주셔서 감사드립니다!!

회사 아티스트 선배님들 후배님들 항상 응원하겠습니다!! 모두 화이팅!!

언제나 더 멋있는 모습으로 팬분들 앞에 설 수 있도록 도와주시는 헤어, 메이크업, 스타일리스트 형 누나들 항상 감사드립니다! 항상 지극정성으로 잘 챙겨주시는 만큼 저희가 더 잘하겠습니다!

저희 데뷔 때부터 항상 분위기 좋고 재밌게 촬영하고 멋있게 만들어 주시는 고등어 감독님, 그리고 자켓사진 촬영해주신 장덕화 포토그래퍼님 감사합니다.

그리고 우리 스테이 이번에 저희가 Clé 2 : Yellow Wood로 컴백하게 되었어요. 이렇게 컴백을 할 수 있고 빠르게 우리 스테이를 만날 수 있어서 너무 좋네요. 이번 컴백 저희 스트레이 키즈의 멋진 모습 많이 보여드릴게요. 앞으로도 오래오래 함께 해요. 고마워요 스테이. You Make Stray Kids STAY

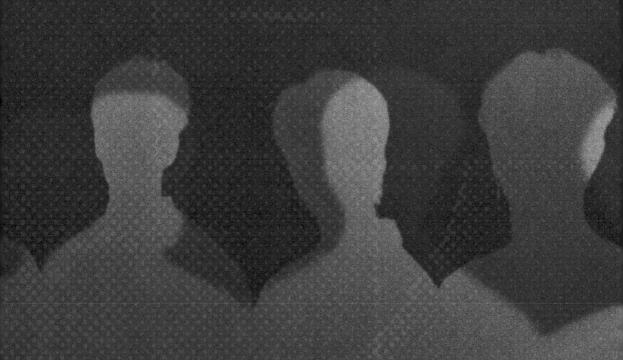

CONTENTS PRODUCTION

PRODUCER   J.Y. Park "The Asiansoul"

A&R
Direction & Coordination   이지영
Music   장하나, 남정민
Admin   변상희
Production   김지형, 최아라, 안호현, 정종원
Design   김보현, 김태은, 최정은, 이가영
Admin   홍시내

RECORDING
Engineer   이상엽 (JYPE Studios), 장한수 (JYPE Studios), 곽정신, 정모연, 홍은이 at The Vibe Studio, 이창선 at
                                                  Prelude Studio, 노민지 at JYPE Studios

MIXING
Engineer   Phil Tan at the Ninja Beat Club, 이태섭 at JYPE Studios and Rcave Sound, 신성 at Blackboots
                                                  Studio, 윤원권 at Studio DDeepKICK, 장한수 (JYPE Studios) at Rcave Sound, 임홍진 at JYPE
                                                  Studios and 논현동 스튜디오
Assistant   Bill Zimmerman at The Ninja Beat Club, 장한수 (JYPE Studios) at Rcave Sound, 엄세희 (JYPE
                                                  Studios) at 논현동 스튜디오

MASTERING
Engineer   Dale Becker at Becker Mastering, Pasadena, CA, 박정언 at Honey Butter Studio, 권남우 at 821
                                                  Sound
Assistant   Mandy Adams at Becker Mastering, Pasadena, CA

VIDEO DIRECTOR   HIGHQUALITYFISH
Executive Producer   김용수
Co-Producer   정다운

PHOTOGRAPHER   장덕화 at Agency PROD

HAIR DIRECTOR   제이, 조보경 at The J COMPANY

MAKEUP DIRECTOR   전지원, 양미리 at The J COMPANY

STYLE DIRECTOR   박정아

ALBUM ART DIRECTION & DESIGN   김보현, 김태은, 최정은, 이가영 at JYP Entertainment

WEB DESIGN   김태은, 서연아, 이가영 at JYP Entertainment

MANAGEMENT & MARKETING
Director   송지은(Shannen Song)
아티스트 1본부   박재윤, 허수진, 조정한, 김윤정, 김선미, 강수연, 강화목, 김미희, 김은섭, 김은영, 박다영, 김유미, 이유진,
                                                  이창진, 엄재준, 이상윤, 김지은, 조연빈, 이성아

CHOREOGRAPHER   나태훈 X 심규진 X 최영준 X Larkin poynton

JYP STAFF

Executive Producer	정욱(Jimmy Jeong), 조해성 for JYP Entertainment

A&R 본부
Management	이지영
Music	장하나, 김여주(Jane Kim), 박순형, 남정민, 변상희, 최은수
Production	김지형, 김보현, 차지윤, 김태은, 홍시내, 최정은, 최아라, 서연아, 이소연, 이가영, 황현준, 강건, 안호현, 정종원
Training	이유리, 전영균, 김성하, 김유진, 김소영
Casting	김현경, 이시은, 이준구, 이동환, 박진, 김경태, 지혜민
Recording Engineer	이태섭, 최혜진, 엄세림, 이상엽

아티스트 1본부	송지은(Shannen Song), 박채윤, 허수진, 조정한, 김윤정, 김선미, 강수연, 강화목, 김미희, 김은섭, 김은영, 박다영, 김유미, 이유진, 이창진, 엄재준, 이상윤, 김지은, 이성아, 조연빈
아티스트 2본부	김희원, 김지혜, 엄연정, 진종구, 홍나래, 김아리, 김예진, 전경현, 김성수, 박상호, 강민성, 임동현, 차혜수, 지상경, 신지수, 김하아린, 김태림, 이혜민, 정주용, 정예린, 이서영, 김나경
아티스트 3본부	신현국, 정해준, 정준길, 주보라, 김효вин, 신선화, 신새롬, 유종범, 정용교, 전용진, 양다설, 김소라, 조한미, 권혁준, 강주연, 윤수원, 유아름, 김려정, 김유주
STUDIO J본부	문호윤 "Moonworker", 유영준, 이예린, 김성진, 이지현, 박강순, 함지은, 이승희, 정가영, 이시형, 편무준, 윤예진, 전하람, 김다열, 최경신, 황승민, 노지희, 김혜원, 서광훈

대외협력본부	조해성 for JYP Entertainment
퍼포먼스디렉팅LAB	박남용, 김형웅, 윤희소, 나태훈, 유광열, 복미란, 강다솔, 심규진, 박경석
대외협력실	김상호, 선진철, 피현식, 김윤지, 이지연, 이서윤, 강영걸, 박예은, 부경민, 박미리, 박다효, 임아현, 최지은, 박상익, 이순성

사업지원본부	변상봉
광고사업실	윤재호, 정은옥, 이승은, 김효정, 이정윤, 김호수, 조성민, 이나은, 민유진, 박유진, 김정민, 이진아, 마세림, 이세림
경영지원실	배용호, 김효정, 박찬, 주성현, 박종욱, 천영환, 김선경, 송성호, 김미경, 안윤주, 이재서, 안진영, 최시용, 김재영, 박시현, 이보람, 최찬무, 김도영, 조영욱, 박미진, 최영완, 위영준, 박세라, 백현주, 김강민, 김세진, 이창우, 황교희, 황준호, 정주영, 노현호, 민근호, 김주희, 최한욱, 이경철, 이지은, 안준호, 박다희, 고은서

ACTOR MANAGEMENT	표종록, 박가을, 조상현, 진영주, 김나래, 김화영, 장순호, 김제영, 권태형, 김다애, 한대훈, 신성범, 박상훈, 김원철, 김영아, 김기철, 김준수, 이찬희, 신준호, 김태준

JYP PUBLISHING
CEO	이정윤
Assistant	신다예, 조현우, 전소형, 이승민

JYP CHINA
CEO	이철훈
Assistant	Liu Miao, 오성철, Zhu Xiaoyan, Li Meilan, 신민정, Xie Xiaomi, He Kun, 조유신, 최경환, Jin Yihan, 정훈해, 전연식, Hu Songying, Yu Liang, 공다윤, Xu Chang, Wang Xiaoshuang, 김향려, 김란영, Lv Liang, 전옥희, 왕재명

JYP JAPAN
CEO	송지은(Shannen Song)
Assistant	정경희, Ayumi Saiki, Rinko Narita, 이지훈, 이성아, 김성법, 윤수민, 김은선, 홍민아, 강민주, Miho Minaka, Fuka Sudo, 권혜은, 오아영, 김진실, Yuno Kemmotsu, 정승은

JYP Thailand
Managing Director	김기재(K-Jay)
Assistant	Nutcha Chansing, Charunya Thairuksa

JYP PICTURES
CEO	표종록
Production	강라영, 정윤성, 김정림, 이혜리

JYP PICTURES CHINA
CEO	이철훈

Stray Kids